OOR WULLIE

PRICE
£5.25

KEN. H.
HARRISON.

D.C. THOMSON & Co. LTD. GLASGOW: LONDON: DUNDEE.
Printed and published by D.C. Thomson & Co., Ltd.,
185 Fleet Street, London. EC4A 2HS.© D.C.Thomson & Co., Ltd., 2000.

ISBN 085116 721 7

What he finds at the jumble sale . . .

. . . really is beyond the "pail"!

The temperature's doon low . . .

. . . but Wullie's soon on the go!

Oor Wullie doesnae seem tae like . . .

. . . runnin' aboot on a butcher's bike.

Little wonder Wull's sae glum . . .

. . . he's no' keen on this new chum!

Jist the noo, the wee man turns . . .

. . . tae the verse o' Rabbie Burns.

Love is in the air, they say . . .

. . . but who will get WULL'S card today?

Wullie dreams o' landin' a whopper . . .

. . . but, very soon, he comes a cropper!

His bike is needin' an overhaul . . .

. . . but Wullie's headin' for a fall!

Wullie's tale of bygone days . . .

. . . earns him teacher's highest praise!

Wullie's got nae luck at a' . . .

. . . he jist can't avoid his Ma!

When it comes tae navigation . . .

. . . Wullie's team's a revelation!

Wullie dreams o' the silver screen . . .

. . . but soon, this lassie's caused a scene!

Wullie doesnae give two hoots . . .

. . . for a plastic mac an' welly boots.

Wullie's nearly in the huff . . .

. . . at a' this lovey-dovey stuff.

If he hadnae messed aboot on the way . . .

. . . there'd be nae need tae see Farmer Gray.

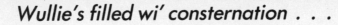

Wullie's filled wi' consternation . . .

. . . when he visits the railway station.

Wullie's jist far too wee . . .

. . . tae be a real O.A.P.

Oor hero goes the whole hog . . .

. . . tryin' tae train his dog.

KEN . H . HARRISON

There's a plan he needs tae hatch . . .

. . . if his team's tae win the match.

Wullie thinks it's no' sae braw . . .

. . . when he gies these pipes a blaw.

KEN.H. HARRISON.

Jeemy's new accommodation . . .
. . . causes Wullie much frustration.

It soon comes tae pass . . .

. . . Wull's sent from the class.

Wullie's sure feelin' awfy fine . . .

. . . he likes to be out wi' a rod an' line!

Harry, the dog, tak's every chance . . .

. . . to lead Oor Wullie a merry dance!

Wullie's memory is too fleeting . . .

. . . on the reason for the meeting.

When he sees the wrecking ball . . .

. . . Wullie's not too pleased at all.

It seems an awfy caper . . .

. . . puttin' up wallpaper.

Wullie's musical career . . .

. . . it seems, micht end right here.

Whit's Wullie cut oot tae be . . .

. . . when he grows past four-foot-three?

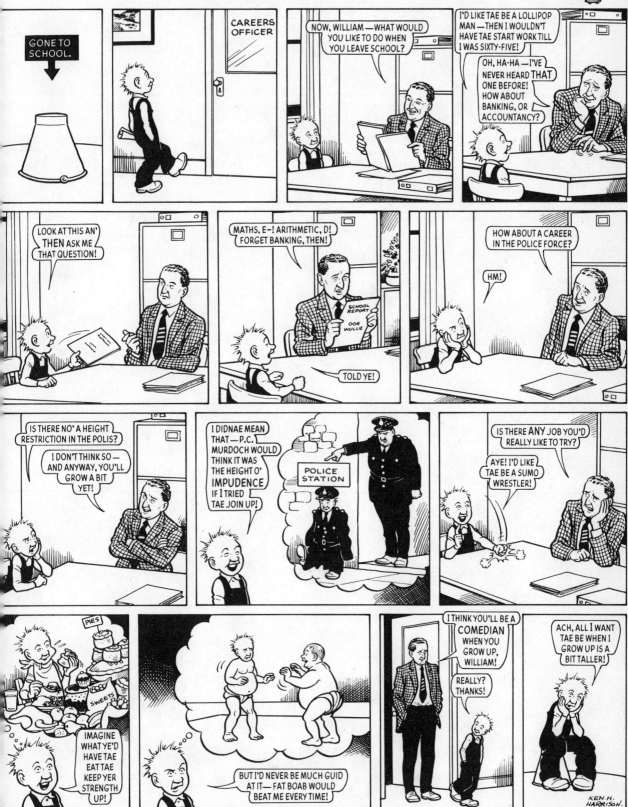

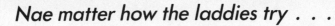

Wull tells his pals, "Keep oot" . . .

. . . from a' his faither's fruit.

Wullie finds it's just nae fun . . .

. . . tryin' tae keep oot o' the sun.

Through the woods, see Wullie roam.

Jist how quick can he mak' it home?

Wullie for Sportsman O' The Year?

No' withoot the richt kind o' gear.

The Highland Games seem jist rare . . .

. . . for a laddie wantin' tae keep his hair.

The fitba' o' the Scottish nation . . .

. . . dominates the conversation.

Wullie's break doon on the farm . . .

. . . soon begins tae lose its charm.

It looks like Wullie cannae win . . .

. . . wi'his desperately hairy chin.

This guid turn is bound tae be . . .

. . . another big cat-astrophe.

Murdoch's caught oot by a squall . . .

. . . and Wullie's antics cap it all.

Whit dae ye dae when ye're no' able . . .

. . . tae spend a'your day jist watchin' cable?

Wash this beastie doon the plug . . .

. . . . or try tae help oot the little bug?

A short-cut across the toon . . .

. . . seems tae get this fella doon!

What's this we've got here . . .

. . . Wullie in cowboy gear?

P.C. Murdoch's great, big feet . . .

. . . suffer when he's on the beat.

He doesnae want tae lose face . . .

. . . but Wull's nae skatin' ace!

This cat's dearest wish . . .

. . . is tae pinch Bob's fish.

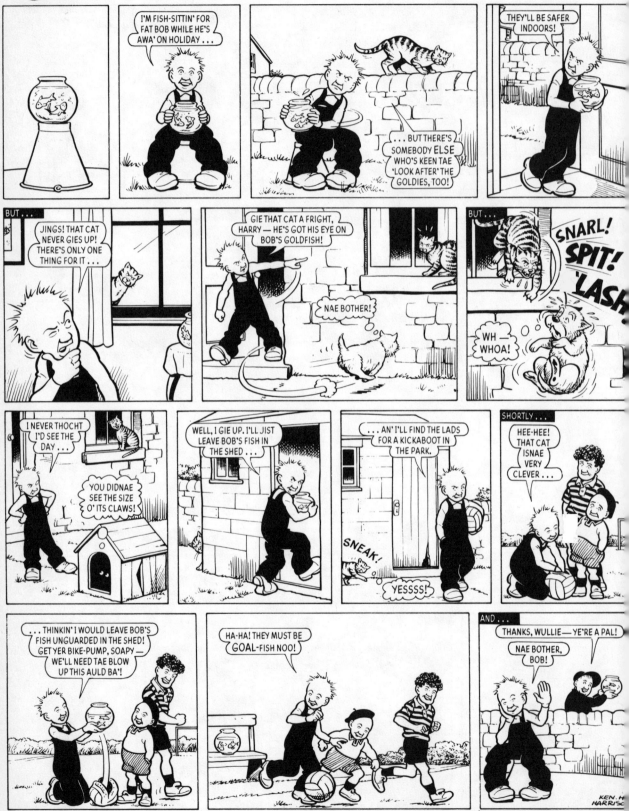

Wullie thinks he cannae fail . . .

. . . tae clean up at a car-boot sale.

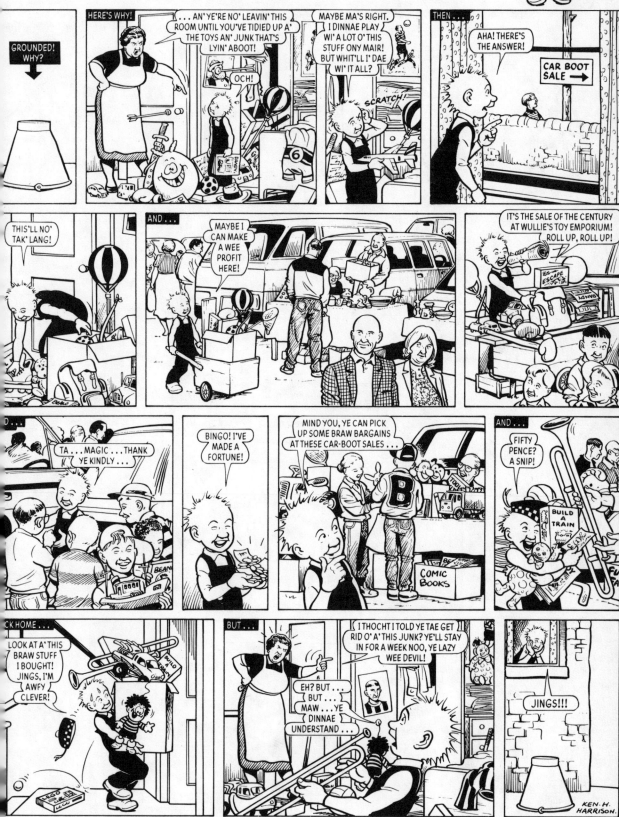

Wullie's four-legged friend . . .

. . . drives Teacher roond the bend

All the gang say why, oh, why . . .

. . . does Wullie have to wear a tie?

For Murdoch, the chase is on . . .

. . . but soon, the wee man's gone!

In his kit, he needs shin-pads . . .

. . . to play this bunch o' strappin' lads!

KEN. H. HARRISON.

Fat Bob watches the video screen . . .

. . . but Wullie thinks it's not his scene!

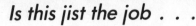

Is this jist the job . . .

. . . tae earn Wull a few bob?

Wullie doesnae ken whether . . .

. . . he believes his bucket can blether!

Pa's uncles come a-callin' . . .

. . . when the temperature is fallin'.

Pa'll end up wishin' . . .

. . . he'd taken his son fishin'!

Bob's a natural athlete . . .

. . . but Wullie's got him beat.

Wullie's lost his auldest friend . . .

. . . but he's still aroond there, in the end!

Wullie cannae help bleatin' . . .

. . . aboot the lack o' heatin' !

The lads jist want tae check a fact.

Instead, they're read the riot act.

Ma and Pa really dinnae believe . . .

. . . somebody's aboot on Christmas Eve.

Waitin' for the bells tae chime . . .

. . . but has Oor Wullie gone back through time?

Wha'd hae thought that a' this sna' . . .

. . . wid turn oot tae be nae fun at a'!